Serie Valores Familiares

La Cooperación

Torkom
Saraydarian

TSG Foundation
tsgfoundation.org

Serie Valores Familiares: ***La Cooperación***
Extraido de *The Psychology of Cooperation and Group Consciousness,*
(caps. 5 y 11)
por Torkom Saraydarian

Publicado originalmente en idioma inglés
por TSG Publishing Foundation
(www.tsgfoundation.org)
Primera edición en idioma inglés: 1999

Primera edición en español: 2004
Instituto Superior Tecnológico Latino

Segunda edición en español: 2019, Editorial Creación
Traducción al español por TSG Spanish Translation Team

Tercera Edición en español: 2021
Impreso en España por: Editorial Dagón
Tel.: +34 629 627 355
Web: *http://editorialdagon.es*
E-mail: *jrubio@editorialdagon.es*

ISBN: 978-1-947571-30-3

Family Values Series: ***Cooperation***
Excerpted from *The Psychology of Cooperation and Group Consciousness,* (Ch. 5 and 11)
by Torkom Saraydarian

First published in English
by TSG Publishing Foundation
(www.tsgfoundation.org)
First Edition in English: 1999

Translation by TSG Spanish Translation Team
Third Edition in Spanish: 2021
Printed in Spain by: Editorial Dagón
Tel.: +34 629 627 355
Web: *http://editorialdagon.es*
E-mail: *jrubio@editorialdagon.es*

ISBN: 978-1-947571-30-3

Nota Importante: El propósito de este libro es educar. Ni el autor, ni el titular de los derechos de autor, y ni la Fundación TSG Publishing Foundation, Inc., tendrán compromiso, ni responsabilidad con alguna persona o entidad, con respecto a alguna pérdida o daño, causado directa o indirectamente, por la información contenida en este libro.

Esta edición en español ha sido completada gracias al generoso apoyo del Grupo TSG en Idioma Español y al Grupo de Estudios Teosóficos de Valencia (España). Expresamos nuestra profunda gratitud hacia todos aquellos que colaboraron con este proyecto.

SOBRE EL AUTOR

Torkom Saraydarian (1917-1997) nació en Asia Menor. Desde la niñez, fue entrenado en las Enseñanzas de la Sabiduría Eterna.

Visitó monasterios, templos antiguos y escuelas de misterios con el fin de encontrar las respuestas a sus preguntas sobre el misterio del hombre y el Universo.

Vivió con Sufís, derviches, místicos Cristianos y maestros de música y danzas del templo. Su educación musical incluyó el violín, piano, laúd, cello y guitarra. Le tomó largos años de disciplina y sacrificio poder absorber la Sabiduría Eterna de sus fuentes verdaderas. La meditación se convirtió en parte de su vida diaria, y el servicio, una expresión natural de su alma.

Torkom Saraydarian dedicó su vida entera al servicio de sus congéneres humanos. Sus escritos, conferencias, y música, muestran su total devoción a los principios, valores y leyes superiores que están presentes en todas las religiones y filosofías mundiales. Estos trabajos representan una síntesis de lo mejor y más bello en la cultura sagrada del mundo. Sus trabajos enriquecen el pensamiento fundacional sobre el cual el hombre puede construir su Futuro.

Torkom Saraydarian escribió un gran número de libros, muchos de los cuales han sido publicados. Todos sus libros continuarán siendo publicados y distribuidos. Algunos han sido traducidos al armenio, alemán, italiano, español, portugués, griego, holandés y danés.

Dejó un rico legado de escritos y composiciones musicales para el disfrute y beneficio de toda la humanidad por muchos años por venir.

LA COOPERACIÓN

La cooperación es una gran disciplina en el sentido que, en el proceso de cooperación, superamos nuestra propia forma de obtener las cosas, nuestro propio interés y nuestro ego, y tratamos de reconocer el interés del grupo como un todo. El principio de cooperación subyace a toda existencia y conduce todo hacia las correctas y armoniosas relaciones.

En cooperación, tres o más personas operan o trabajan juntas para alcanzar una meta que han acordado. La cooperación es el fundamento de la salud, la felicidad, el éxito, la supervivencia y los logros en varios niveles.

La cooperación es el trasfondo que conduce a todas las formas de vida a moverse cooperativamente para manifestar los potenciales que existen dentro del hombre y en toda la Naturaleza. La cooperación conduce hacia la agrupación, la integración y el alineamiento con fuentes más elevadas de energía y guía. Esto eventualmente hace que los individuos, los grupos, las naciones y la humanidad, se superen a sí mismos. Hay muchos factores involucrados en la cooperación. Algunos de ellos son los siguientes:

La cooperación requiere una meta en común, la cual es beneficiosa para aquellos que acuerdan cooperar con ella. La cooperación requiere de habilidades especiales y conocimiento, en concordancia con el campo de trabajo y la meta. Mientras más profundo es el conocimiento y mejores las habilidades de los participantes, mayor es el éxito de la cooperación.

La cooperación requiere concentración y enfoque, así como dedicación hacia el objetivo y la aplicación de talentos sin la interferencia de intereses personales.

La cooperación debe ser progresiva. Debe continuar una vez que meta tras meta se alcancen.

La cooperación es un proceso de olvidarse de uno mismo dentro del yo colectivo y el interés del grupo.

La cooperación no puede ser llevada a cabo sin un control firme sobre las preferencias personales, la vanidad, la figuración y el despliegue de resentimientos.

La cooperación no debe ser sólo progresiva sino también inclusiva. Debe de incluir a grupos cada vez más grandes que se esfuercen por el mismo objetivo básico.

Todos los involucrados en el esfuerzo cooperativo deben tener su propia tarea y desarrollarla dentro de la visión del trabajo en su conjunto. La no interferencia y la motivación son factores esenciales requeridos de aquellos que están involucrados en el esfuerzo.

La cooperación es una forma de componer una sinfonía en la cual cada nota tiene su posición única y su tarea para completar la visión de las otras notas en crear una sinfonía.

En la cooperación, no se glorifica al individuo sino al grupo.

En cada labor cooperativa existe un líder que atrae a los colaboradores por el magnetismo de un plan. A medida que el trabajo procede, él se convierte en una fuente de inspiración y de coraje. Eventualmente, cuando el objetivo se logra, él trata de llevar la labor de cooperación a un nivel más alto, que requieren de más sacrificio y concentración. Un verdadero líder inspira a los colaboradores a liderarse a sí mismos hacia la meta, a través del camino de lo esencial.

En cada nivel de desarrollo, la cooperación es posible. Pero la cooperación progresiva e inclusiva es sólo posible cuando la labor de cooperación se convierte en la manifestación externa del proceso interno de cooperación.

El proceso interno de cooperación tiene cuatro pasos:

1. La integración entre las naturalezas física, emocional y mental.
2. El alineamiento con la fuente creativa en nuestro ser.
3. La síntesis de nuestras acciones, sentimientos, pensamientos, ideas, metas y propósito en la vida.
4. El esfuerzo por contactar actividades grupales más avanzadas para cooperar con ellas.

¿Qué hace la Cooperación?

1. La cooperación ahorra tiempo, energía, dinero y recursos.

2. La cooperación garantiza el éxito.

3. La cooperación pone en acción los potenciales encontrados en un grupo.

4. La cooperación enseña la ciencia de la adaptación.

5. La cooperación hace que el hombre progrese ayudándolo a superar su personalidad –sus problemas y apegos– y lo vuelve capaz de madurar y lograr un cierto grado de victoria sobre su naturaleza inferior.

6. En el proceso de cooperación, uno ve claramente los factores internos que representan obstáculos para el esfuerzo cooperativo, y puede así tomar los pasos necesarios para corregirlos.

7. La cooperación descansa en la libertad. En la cooperación no debe haber presión. Nadie debe ser forzado a hacer una tarea. Los colaboradores deben unirse, no por presión de ningún tipo, sino por la urgencia de sus corazones y por la conciencia de un plan particular y una necesidad. Cualquier despliegue de fuerza de un colaborador, hace imposible el espíritu de cooperación y crea resistencia, brechas y otros problemas.

8. En la cooperación, los errores futuros pueden, en cierto grado, ser corregidos.

9. En la cooperación, un campo magnético es creado para atraer nuevas corrientes de inspiraciones e impresiones.

10. En la cooperación, el fuego del espíritu se enciende y se convierte en un agente poderoso para superar obstáculos y lograr grandes avances.

11. En la cooperación, se logra una fusión entre las naturalezas de los colaboradores.

12. Si la cooperación se lleva a cabo con el propósito de obtener ventajas personales, satisfacer intereses egoístas o complacer a personas específicas, la cooperación fracasa.

Cuatro niveles en cada persona deben fusionarse y sincronizar para el éxito.

1. El nivel del propósito.
2. El nivel del pensamiento.
3. El nivel de los sentimientos y emociones.
4. El nivel de la acción.

Tal fusión brinda la posibilidad de cooperación futura en campos más elevados de la existencia humana. El hombre mismo es el resultado de la cooperación de todos los elementos en su cuerpo.

Las Galaxias son el resultado de la cooperación. la existencia en sí misma es el resultado de la cooperación. La falta de cooperación es el caos.

La cooperación es la fuente de energía del significado de la evolución. Todo en la Naturaleza tiende hacia la cooperación. La Naturaleza existe por la cooperación de materia, energía, tiempo, espacio, plan y propósito.

Nada existe en el universo que no sea resultado de la cooperación.

La cooperación trae las cosas a la existencia. La falta de cooperación se convierte en la causa del caos y la destrucción.

El progreso, el éxito, la salud, la felicidad y los grandes logros son resultados de la cooperación. Estos resultados se multiplican cuando el hombre coopera en frentes más amplios. La lección especial a tenerse en mente es la renunciación a intereses egoístas y el apoyo a los intereses de la humanidad.

Si se lee la historia cuidadosamente, se verá que la desintegración, la destrucción y la desaparición de las naciones han sido el resultado de la falta de cooperación con la Naturaleza, con otras naciones y entre ellos mismos. Lo que es verdad para la salud y el bienestar del individuo, también se aplica en las relaciones nacionales e internacionales.

Si juntas a tres personas y observas la calidad de su cooperación, encontrarás que aquellos que tienen buena cooperación dentro de su propia naturaleza también la tienen con sus relaciones y amigos.

Cierta vez, hablando con un oficial de prisión, le pregunté su observación general sobre los prisioneros. Él dijo: «Si escarbas en la vida de los prisioneros, descubrirás que la mayoría de ellos son de familias o ambientes en donde la integración dentro de la persona y la cooperación entre las personas estuvo ausente. Un niño que no ve cooperación en casa tendrá dificultades para aprenderla más tarde en la sociedad».

De manera que, debemos repetir: la base de la cooperación es la cooperación entre las partes de tu propia naturaleza. Sólo así tendrás la misma cooperación en tu familia, en tu negocio, en tu grupo o sociedad.

Se puede desarrollar la cooperación si tratas de pensar, sentir y actuar como una persona integrada. La mayoría de personas piensa en una forma, siente de otra manera y actúa incluso de otra forma. Tener diferencias en nuestra naturaleza, en nuestra familia y sociedad significa que la unión no es saludable. La salud en las tres naturalezas produce salud y cooperación. La salud actúa a favor de la supervivencia. La enfermedad, no.

Sólo cuando hay cooperación dentro de ti, tienes un impacto en el mundo. Las personas divididas dentro de ellas mismas traen miseria y muerte por todos lados y se desvanecen en las ruinas de su destrucción.

La sociedad nos ha enseñado que cada quién debe cuidarse a sí mismo. Este consejo ha estado operando durante mucho tiempo y ha dejado los resultados que vemos a nuestro alrededor. Cuidar solamente de uno mismo, conduce a la persona a continuar con el egoísmo. La nueva regla debe ser que cada uno debe cuidar del otro.

No debes amar a tu vecino como te amas a ti mismo sino aún más, si quieres que el mundo sobreviva. Esta es la base de la nueva raza, la futura raza de los hombres. Si nos amamos más que a los demás, aniquilaremos la vida de este infortunado planeta.

La cooperación hace que la creatividad planetaria y las fuerzas constructivas te ayuden en tu vida y trabajo diario. Pero si no cooperas, estarás peleando en contra de estas fuerzas. Aquellos que no cooperan, desaparecen.

Hay toda clase de grupos y agrupaciones, desde los individuales hasta los de galaxias y aún más lejos. Cada grupo debe tener un objetivo y debe existir cooperación dentro de cada uno de ellos. Pero los grupos deben unirse para encontrar el propósito común detrás de todos los objetivos. Solo es posible la cooperación entre todos los grupos una vez que el propósito común sea definido.

Sin un propósito común los objetivos entrarán en conflicto. Sin objetivos, la gente se peleará o prevalecerá la inercia. A menos que los objetivos sean beneficiosos y cumplan con los requerimientos del Bien Común, no será posible la cooperación. Esto es muy importante, la primera garantía de lograr el éxito en cualquier objetivo es que éste deba ser realmente bueno para todos los seres humanos en cualquier lugar.

Hay millones de grupos en el mundo con millones de objetivos. Cuando cada objetivo toma una dirección diferente y se convierte en un objetivo antagonista o conflictivo con relación en los otros, tenemos toda clase de protestas globales:

Revoluciones, guerras, explotación masiva y aniquilación de seres y recursos naturales, crímenes masivos y más. El destino final de la cooperación es crear un objetivo común para todos los objetivos. Este objetivo se llama propósito. A no ser que las personas vean el propósito que existe detrás de sus objetivos, no podrán desarrollarse más.

Es como escalar una montaña. Cientos de personas escalan montañas y usan diferentes caminos para llegar a la cima. Si llegar a la cima es el propósito, todos llegarán allí.

Primero, la gente debe tener objetivos para empezar a aprender cooperación. Luego se debe ver el propósito detrás de los objetivos. El propósito es el más grande imán, el cuál une a todos los objetivos para hacer que las personas cooperen entre sí.

Si no hay propósito, los objetivos pueden terminar en tensión global porque la gente no puede ver el propósito, la visión; no puede ver lo que van a lograr. Una vez que se conoce el propósito, la gran confusión de todos los niveles cesará lentamente y la armonía será el resultado.

Una gran victoria humana está disponible a través de la cooperación.

Aquí hay once principios que forman la base de la cooperación:

1. Cuando nuestros pensamientos, sentimientos, palabras y acciones se complementan, se fortalecen o se alimentan para lograr un objeti-

vo común, decimos que tenemos cooperación en nuestra misma naturaleza.

La verdadera cooperación grupal comienza cuando los pensamientos, palabras y acciones de los miembros están en armonía con la visión por la cuál se están esforzando.

No hay verdadera cooperación entre las personas cuyas acciones están en armonía, pero cuyos pensamientos, palabras y sentimientos entre ellos van en contra de la cooperación. Ese estado de cooperación tendrá una vida muy corta.

Los verdaderos líderes deben educar a la gente a cooperar en los cuatro niveles:

1. Pensamientos.
2. Sentimientos.
3. Palabra.
4. Acción.

La cooperación no implica la imposición de uniformidad de pensamientos, sentimientos, palabras o acciones; sino que motiva la diversidad, la cual está en armonía o complementa a la visión.

En cooperación grupal, uno necesita disciplina y educación para ser capaz de evitar fricción en cualquier acción cooperativa.

2. La cooperación es un esfuerzo de un grupo de personas por manifestar una visión.

La cooperación no es posible sin una gran visión que polariza, armoniza y orquesta todos los pensamientos, sentimientos, experiencias y acciones del individuo para la manifestación de la visión.

3. A menos que exista un objetivo común o una visión, la cooperación no es posible.

El objetivo común de un grupo o nación pueden ser, por ejemplo, sobrevivir, la manifestación de la belleza, o el servicio a la humanidad. Tales objetivos pueden evocar sentimientos profundos de cooperación. La gente debe cooperar para producir cultura y belleza, ellos deben cooperar para sobrevivir como raza humana.

Cuando se entienden estos objetivos como lo más esencial para la humanidad, el siguiente paso será educar y enseñar los pasos que conducen hacia la cooperación. Estos pasos involucran tener:

1. Un propósito común.
2. Un plan que involucre a todos.
3. Objetivos que conduzcan al plan.
4. Habilidades para manifestar los objetivos.
5. Trabajar para que el propósito se manifieste.

Un líder inspira a la gente y los educa en los cinco pasos requeridos para la cooperación:

1. Propósito.
2. Plan.
3. Objetivo.
4. Habilidades.
5. Labor.

Un líder nunca utiliza la presión o la fuerza negativa, sino que inspira a las personas hacia logros mayores; porque él sabe que el uso de la fuerza hace que la gente trabaje por sus propios intereses separatistas.

4. Los grandes líderes nos dan una visión y movilizan todos nuestros pensamientos, emociones y acciones hacia esa visión a través de nuestra cooperación con aquellos que tienen intereses similares.

Cada individuo en cualquier grupo cooperativo debe entender claramente que los miembros del grupo conocen y progresan mejor si trabajan juntos para manifestar su visión. Cuando se entiende esto, cada uno realizará el esfuerzo correcto, tomará los pasos correctos para hacer que la visión se haga realidad.

Cada miembro del grupo debe tratar de descubrir qué puede hacer mejor para promover la cooperación grupal. Tal esfuerzo ayuda a la gente a ver muchas posibilidades latentes en ellos mismos y en otros.

Cada miembro del grupo debe conocer los límites de sus responsabilidades y obligaciones. Luego, si encuentran alguna dificultad, deben buscar el consejo de su líder - para iluminación, no para órdenes. Aquellos que dependen de órdenes para cumplir con sus responsabilidades y deberes no pueden desarrollarse y aprender la ciencia de la cooperación.

Esa es la razón por la cual el líder inspira, evoca, motiva e ilumina a los miembros del grupo y luego los deja en libertad para demostrar sus habilidades, devoción y creatividad para la actualización de la visión.

5. Cuando una persona coopera con otros para actualizar una visión, empieza a refinar y controlar sus acciones, emociones y pensamientos eliminando todos los factores que no encajan en la visión.

En el proceso de cooperación, uno debe tratar continuamente de lograr maestría sobre su personalidad y aprender cómo controlar sus pensamientos, palabras y acciones, tratando de eliminar todas esas causas que hacen funcionar su personalidad mecánicamente.

Cada miembro del grupo tiene una responsabilidad básica que lograr, que puede ser resumida como la responsabilidad de buscar cooperar con la visión del grupo, armonizando sus pensamientos, palabras y acciones con tal visión. Por ejemplo, los miembros de un grupo que están comprometidos en promover el Bien Común, no deben ejercer el chisme, la calumnia, la malicia, la traición, los celos o el odio en contra de los otros miembros. Si ellos lo hacen, automáticamente se excluyen de la membresía. Incluso si ellos mismos se consideran miembros en buen estado, el grupo los descarta.

Algunos miembros de un grupo podrían odiarse; algunos pueden guardar celos en sus corazones;

otros pueden incluso tener sentimientos de venganza hacia otros. Tales síntomas no promueven la verdadera cooperación, sino que se convierten en semillas de desintegración para el grupo.

Ser miembro de un grupo que promueve el Bien Común significa estar listo para sobrellevar una disciplina, la cual permitirá a cada persona controlar y dominar aquellos elementos de su personalidad que están en contra de la visión común del grupo.

Antes de que una persona acepte una responsabilidad mayor que la previa, debe someterse a una disciplina más seria que lo equipará para cumplir con los requerimientos de su nueva responsabilidad –de lo contrario, no sólo fracasará, sino que también dañará la integridad del grupo y causará la desintegración del mismo.

Aquellos que crean problemas dentro de los grupos por su egoísmo o sus intereses separatistas se privan de la oportunidad de adquirir dominio sobre sí mismos. A veces, se piensa que los problemáticos son inteligentes, pero uno tendría que estar loco para anteponer sus propios intereses a los del grupo, nación o humanidad. Una vez le dije a un miembro de un grupo creativo: «Seguro que asististe a las reuniones; sólo viniste para crear fricciones personales con casi todos. ¿Sabes lo que estás haciendo? Te estás negando la oportunidad de cooperar. Estás actuando incluso en contra de tus propios intereses».

La Cooperación

A veces la gente piensa que ciertas comunas o comunidades establecidas son ejemplos de cooperación. Después de un examen más cercano, uno puede ser testigo allí de una gran cantidad de chismes, odio, celos, malas intenciones, intereses personales, etc. Una verdadera comunidad no es un fenómeno externo de relaciones cercanas, sino que se caracteriza por un estado de amor que organiza a todos los miembros para vivir en armonía unos con otros y actualizar su visión común. Esta es la razón por la cual cada comunidad debe ejercer el refinamiento, crear armonía y respeto, y promover una labor constructiva en todos los niveles de su existencia. Aquellos miembros que son motivados por la visión común y demuestran entusiasmo, equilibrio, nobleza, inteligencia y labor sacrificada, enseñan con su ejemplo de vida las más elevadas lecciones a sus compañeros.

La técnica de imposición debe cambiar a la de inspiración. La gente inspira a otros por las virtudes que manifiesta en sus relaciones diarias. «Inspirar» significa hablar a las almas de la gente en lugar de ejercer la fuerza sobre sus personalidades.

Los líderes deben aprender el arte de presentar las necesidades de un grupo o una nación a las personas y deben inspirarlas a satisfacer esas necesidades. Los líderes deben también utilizar la devoción de sus colaboradores para lograr labores mayores para el grupo.

Mi Instructor me preguntó una vez: «¿Qué pensarías si te pidiera que cabalgaras durante tres días y llevaras esta medicina a nuestro gran Instructor? Por supuesto, debes saber que los caminos son muy peligrosos y que los bandidos son como lobos hambrientos en estos tiempos…», y entonces se fue. Después de una pausa, lo seguí y le dije: «Maestro, sería mejor para mí morir que no respetar sus deseos». Lágrimas salieron de sus ojos mientras decía: «Aquí está la medicina; prepara tu caballo y sal al amanecer».

Cierta vez, un grupo estaba construyendo un templo para la meditación. La compañía eléctrica pidió al grupo que cavara una zanja de dos pies de profundidad y ciento cincuenta de largo para colocar el conducto. El líder del grupo pidió voluntarios entre los miembros para ayudar a cavar, pero todos estaban muy ocupados. durante tres días, el líder trabajó desde al amanecer hasta el anochecer preparando la zanja.

El día que la compañía eléctrica llegó para colocar el cableado, los directores aparecieron. Un trabajador de la compañía eléctrica les dijo a los directores: «Ese pobre hombre trabajó muy duro durante tres días y terminó él solo la zanja. ¿Por qué nadie lo ayudó? Venía yo a diario y lo veía trabajando cada vez más duro. Debe realmente de haber necesitar el dinero». Uno de los directores replicó: «Él no lo estaba haciendo por el dinero; él es nuestro presidente, nuestro líder». Con ojos muy abiertos y voz amorosa el electricista dijo: «¡Entonces qué vergüenza en USTEDES!».

El líder debe establecer el ejemplo con su labor. Hay una historia de un rey que llegó a dónde unos soldados estaban peleando entre ellos sobre quién iba a llenar un vagón con leña. Después de escucharlos maldecir y viendo su ira, el rey dijo: «¿Puedo tener el honor de trabajar para ustedes gratis?», y empezó a llenar el vagón. Inmediatamente después de terminar, él se fue, pero uno de los soldados lo reconoció y dijo: «¿Ustedes saben quién era él?». «¿Quién?». «¡El rey!». Los hombres corrieron a disculparse por su conducta y el rey dijo: «Bueno, mi deber es servirlos...». La historia prosiguió de manera que esos soldados trabajaron tan duro para probar su valía después de este episodio que se convirtieron en los generales de mayor confianza del rey.

El liderazgo existe para brindar ejemplos de cooperación y dar inspiración para esforzarse por el futuro.

6. La cooperación con la visión nos acerca a nuestra naturaleza interior.

Si por sólo una vez las personas pudieran entender que el propósito de construir grupos es sacar lo mejor de su naturaleza interior, grandes cambios ocurrirían en sus conciencias. Los miembros de grupos avanzan más rápido en grupo que haciéndolo solos.

7. Toda la información y aprendizaje sobre la cooperación nos es dada para prepararnos a cooperar con una visión más elevada.

Cada miembro de un grupo debe aspirar a esa visión más elevada. Pero aquí surge una pregunta. ¿Qué pasa si el grupo es un grupo de investigación científica o un grupo financiero cuyos miembros no tienen la más ligera idea sobre la visión más elevada? La respuesta es que el plan para el bien común contiene los arquetipos de los logros de cada grupo. Cada grupo que avanza se acerca a ese arquetipo. La mejora continua en cada línea del esfuerzo humano, nos lleva a trabajar por el bien común. El arquetipo inspira a los miembros individualmente y penetra en sus conciencias. Tal como un negativo fotográfico revela lentamente la foto a medida que el proceso de revelado se desarrolla, un grupo que avanza manifiesta, de manera similar, el arquetipo proyectado en la conciencia de sus miembros.

La aspiración, la cooperación y el esfuerzo empiezan en el momento en que un grupo, como un todo, es impresionado por el bien común.

8. La cooperación en espirales cada vez más elevados disipa o elimina gradualmente la vanidad, el ego, la inercia, la depresión y la separatividad. Estos son cinco lobos que esperan para atraparnos.

Había una mujer de 84 años de edad que me llamaba frecuentemente para quejarse de su vida. Ella era muy adinerada pero no sabía cómo usar su dinero para darle alegría a su corazón. Un día la llamé y le dije: «Te puedo dar un trabajo en nuestra oficina». «Con todo mi dinero», dijo, «¿para qué necesito un trabajo?». «No te vamos a pagar», le dije. «Eso es ridículo», respondió. «Tal vez», le dije, «pero vas a trabajar cuatro o cinco horas al día y nos vas a pagar veinticinco dólares por trabajar». «¡Dios mío!», dijo ella sorprendida. «No pierdas esta oportunidad», le sugerí.

Después de un tiempo, ella vino a trabajar y comenzó doblando algunas cartas y escribiendo un poco a máquina. Cuando estaba lista para irse, le recordé que pagara sus deudas - y lo hizo. Al día siguiente, vino a primera hora de la mañana y me dijo cuán feliz estaba y cuán descansado fue su sueño, cuán contenta estaba de que, al fin, después de tantos años de indolencia e inercia, hubiera encontrado un trabajo que realmente pagaba.

Nuestro orgullo, vanidad y ego desaparecen en la cooperación y la labor. Nos sentimos uno con la gente, y la vida pasa más rápido y llena de felicidad.

Cierto día elegí a esta mujer para dirigir una reunión de un comité y le presenté a algunas personas revoltosas para que trabajase con ellas. Ella trabajó muy duro para mantener a todos unidos, para lograr el objetivo, y se sorprendió mucho del éxito que tuvo en hacerlos cooperar y actuar como seres humanos.

La cooperación es un proceso de sanación grupal, transformación grupal y adaptación. Qué hermoso es unir a las personas para que debelen los valores que están escondidos en ellas.

A veces el obstáculo más grande en un trabajo grupo es el sentimiento de importancia. En la labor grupal, esta vanidad se evapora y la persona siente que los demás son importantes, a veces más importantes que ella misma. Liberarse de su propia vanidad, del ego, de la irritación y del separatismo significa la finalización de la tristeza, del dolor y del sufrimiento.

9. La cooperación conduce a la unidad y a la síntesis.

A medida que una persona coopera, desarrolla un sentido de unidad, el cual lo capacita para relacionarse con otros de tal manera que cada persona es utilizada para el logro de la visión. La síntesis es la relación correcta en beneficio de un propósito elevado.

La cooperación nos prepara paso a paso para ver el propósito por el cual estamos trabajando. Mientras mejor ve una persona el propósito, más cooperativa se vuelve, porque se da cuenta que la actualización del propósito es el logro de sus aspiraciones más elevadas.

Una de las tareas del líder es cuidar de no crear celos en otros hacia él. Esto es posible si el líder no alardea, o tiene vanidad, ego o el espejismo de ser extremadamente importante. Los celos se crean cuando un líder tiene esos vicios. Si él es humilde y reconoce la belleza en otros, y no alardea como si nada puede ser realizado sin su presencia, no crea celos en otros. Algunos líderes se visten lujosamente, viven en el lujo y fanfarronean continuamente. Tal forma de vida crea celos. En dónde los celos echan raíces, la cooperación se termina.

Un Instructor trabajó con obreros, pintores y jardineros como si fuera uno de ellos. Un día después de trabajar en el jardín el día entero con los jardineros, les dijo: «Es tiempo de descansar y relajarse para ustedes, pero mi labor continúa mientras que ustedes descansan –tal vez hasta la media noche». Quería demostrarles que el liderazgo no es un estado de reposo, sino de labor continua. Uno de los jardineros le remarcó: «No quisiera tener su posición».

Debemos saber también, que existen aquéllos que están contaminados hasta los huesos con la enfermedad de los celos. Es duro y costoso tratar de sanar a tales personas.

Un verdadero líder no trata de hacer a la gente a su semejanza, sino trata de crear en ella su propia originalidad, y activa en ella sus talentos para que pueda crear una labor sinfónica en lugar de una monótona. Cuando el líder trata de hacer que los otros sean una copia exacta de él mismo, evita el progreso personal de dichas personas y se priva de sus contribuciones particularmente originales y de sus talentos.

Los líderes deben inspirar a los individuos a florecer en su propia flor, con su propia belleza, y contribuir así con la labor de todo el grupo. Cada vez que el líder crea seguidores –ovejas– termina odiándolos porque no contribuyen en nada real o valioso a su labor.

Un verdadero líder no sólo motiva a otros a desarrollar sus talentos individuales, sino también los ayuda a superarlos. Cada líder debe tratar de preparar a unas cuantas personas para que lo reemplacen y debe comprometerse en tareas de más responsabilidades y dificultad. Cuando un líder puede ser reemplazado, queda libre para desarrollar un servicio más osado para la humanidad.

10. La cooperación desarrolla conocimiento, sabiduría, telepatía, intuición y poder de voluntad; esto brinda experiencia.

La cooperación incrementa nuestro conocimiento. Aprendemos uno del otro; aprendemos de la creatividad de cada uno. Eventualmente una gran reserva de conocimiento puede ser creada, la cual proporciona conocimiento a cualquiera que entre en contacto con aquellos que están colaborando.

La cooperación expande nuestro campo de conciencia; y un campo de conciencia expandido brinda maneras nuevas y más creativas para relacionarse con la gente. Reunirse con gente que tiene actitudes y opiniones diferentes a las nuestras enriquece nuestra conciencia y nos da la oportunidad de ver las cosas desde diferentes puntos de vista. Esto también promueve cooperación y la fusión.

No tengas miedo de conversar con personas que no acepten tus opiniones o ideas. Trata de descubrir por qué difieren. A veces tus opositores son las fuentes de las ideas más valiosas. Ellos agudizan tu poder de observación y te muestran maneras a través de las cuales puedes ser mejor aceptado.

Algunas personas se sienten a salvo y seguras escondiéndose en su ignorancia. Tienen miedo de salir a la luz y ver lo que los otros están pensando sobre ellas y sus ideas. Tal actitud no promueve la cooperación. Trabaja a nuestro favor el que nuestra ignorancia y tontería sean expuestas.

La cooperación destruye nuestras formas de pensamiento erróneas debido a la razón y lógica crecientes del grupo. En cierto grupo, por ejemplo, un miembro quería ser el jefe. Fue colocado eventualmente en dicha posición para que descubriera sus verdaderos motivos. Después de tres meses de humillación, él renunció. Cuando le preguntaron el por qué dijo: «No sabía que yo era tan estúpido y falto de preparación para el trabajo». Es en los comités y en los grupos donde nuestros verdaderos colores se manifiestan y entonces tenemos la oportunidad de mejorarnos.

La cooperación incrementa la cantidad de nuestra experiencia y el poder de nuestro razonamiento. En los grupos siempre hay una oportunidad de tener nuevas experiencias. Debido a la atmósfera tensa y los varios niveles de inteligencia en el grupo, una persona es desafiada a mejorar su razonamiento y su lógica para contribuir al esfuerzo común en pos del progreso.

En los grupos una persona aprende cómo prevenirse a ella misma de caer en la tentación de manipular a la gente. Una vez que esta tentación se supera, la persona trata de ser útil para el grupo. En el proceso de cooperación, la persona aprende cómo usar sus poderes mentales constructiva y creativamente para el Bien Común.

Es posible también, en una situación de grupo, que se tomen acciones violentas en contra de las ideas y visiones de una persona. Esta es una señal de derrota y «bancarrota» de intelecto en aquellos que promueven estos tipos de actos. La Ley de la Cooperación nos desafía a mirar más profundamente en las ideas de los otros para comprender su esencia o probar lógicamente lo desfasadas que están.

En la cooperación desarrollamos la telepatía. Aquellos que cooperan, gradualmente se vuelven más sensibles entre ellos y comienzan a registrar los sentimientos, pensamientos y motivos de los otros. La cooperación con otros cultiva el poder de la telepatía en los miembros del grupo. Eventualmente la fusión de grupo se vuelve un hecho y el grupo actúa como uno.

La gente que actúa con separatismo, odio y malicia no puede desarrollar la telepatía, aun cuando puedan registrar sensaciones a través de su plexo solar.

Este tipo de registro se convertirá luego en la fuente de todos sus problemas físicos y psicológicos.

La cooperación desarrolla la intuición y fuerza de voluntad. La fuerza de voluntad se desarrolla cuando uno supera obstáculos físicos, emocionales y mentales en el curso de la cooperación. Esto se desarrolla a través del esfuerzo de encontrar mejores formas de contribuir con el Bien Común.

Así como nuestros cuerpos se construyen a través del proceso de cooperación entre células, órganos y demás, nuestros poderes superiores y virtudes se desarrollan de manera similar a través del proceso de cooperación entre elementos que se atraen entre ellos en la esfera de nuestra alma para formar un vehículo de expresión.

No podemos desarrollar ninguna virtud si no utilizamos la Ley de la Cooperación. Debemos recordar que nuestros compañeros que nos ayudan son frecuentemente invisibles. Ellos pueden ser fuerzas, energías, ideas, impresiones, formas de pensamiento. El fundamento básico es que sin cooperación nada puede ser creado o logrado.

11. La cooperación te lleva a la suprema Ley del Sacrificio a través de la cual dejas atrás tu interés y te vuelves uno con lo demás.

Mientras uno desarrolla la cooperación vertical y horizontal, uno finalmente se da cuenta que puede lograr más si sacrifica más. Aquellos que persisten en la cooperación, lentamente contactan la belleza y talentos interiores de sus colaboradores y eventualmente se dan cuenta que hay una parte en cada uno de nosotros que es exactamente la misma y que nos conecta unos con otros. Este Ser Único se manifiesta a Sí mismo en el trabajo por el Bien Común.

CONTINUANDO CON EL LEGADO

Torkom Saraydarian dedicó su vida entera a servir a los demás en el crecimiento espiritual. Al momento de su muerte física en 1997, muchos libros habían sido ya publicados y más de 100 manuscritos estaban a la espera de su publicación.

Torkom Saraydarian tenía la sabiduría y habilidad únicas para escribir todos estos libros magníficos y componer cientos de composiciones musicales en el lapso de una sola vida. La publicación y archivo de sus trabajos creativos tomará también una vida completa de esfuerzo cooperativo de nuestra parte. Necesitamos sus contribuciones y respaldo continuo, pues juntos podemos hacer que su sueño sea una realidad, y podemos hacer que su legado fructifique.

Un fondo especial, el *Fondo de Publicación de Libros de Torkom Saraydarian*, ha sido creado para la publicación de sus libros. Adicionalmente, un *Fondo de Donaciones* ha sido establecido para la perpetuación de todos sus trabajos creativos.

Contáctenos para más detalles y actualizaciones concernientes a los programas de publicación y archivo.

Usted puede contribuir con fondos para un libro entero, o dar cualquier cantidad que desee sobre una base continua, o como una contribución única.

Muchas gracias por su respaldo amoroso y continuo.

SOBRE LA FUNDACIÓN

T.S.G. Publishing Foundation, Inc. es una organización no gravable sin fines de lucro. Fundada el 30 de noviembre de 1987 en Los Angeles, California, se trasladó a Cave Creek, Arizona, el 1o. de enero de 1994.

Nuestro propósito es el de ser un sendero para la auto-transformación. Estamos completamente dedicados a la publicación, enseñanza, distribución y archivo de los trabajos creativos de Torkom Saraydarian.

Nuestra oficina y tienda en línea ofrecen una colección completa de los trabajos creativos de Torkom Saraydarian para la venta y distribución.

Nuestro boletín Outreach contiene artículos que fomentan el pensamiento y está disponible tanto en material impreso como en nuestra página web con notificaciones electrónicas gratuitas.

Free Wisdom es un servicio en línea para mantenerle actualizado sobre eventos, materiales interesantes y lecturas inspiradoras.

También conducimos clases, seminarios especiales de entrenamiento, Conferencias Anuales en los Estados Unidos e internacionalmente, y cursos de meditación para el estudio desde el hogar.

Contáctenos o visítenos en línea para detalles sobre nuestras actividades y eventos actuales y venideros.

Página web: *www.TSGFoundation.org*

LA UNIVERSIDAD TORKOM SARAYDARIAN

Torkom Saraydarian soñó con un centro de entrenamiento, usualmente llamándolo la Universidad, donde hombres y mujeres pudieran ser entrenados en la teoría y aplicación de los Principios y Valores Superiores de la Sabiduría Eterna. Llamó a tal educación superior «Educación Acuariana» y motivó continuamente a sus estudiantes a formar tal institución en el futuro.

> *Hay una creciente necesidad de liderazgo en el área del conocimiento esotérico. Más y más gente se está desilusionando de las enseñanzas que reciben de oportunistas, de gente que tiene buenas intenciones pero están llenos de espejismos y vanidades, o de gente que quiere usar la Enseñanza como un negocio para recolectar dinero.*
>
> *Un gran daño se hace las personas que se aproximan a la Enseñanza con sinceridad en su corazón y son atrapados por grupos, instituciones u organizaciones que son sólo para actividades sociales o que funcionan como trampas de explotación. Algunos de estos buscadores gradualmente se olvidan de su búsqueda y se adaptan al entorno. Algunos de ellos suprimen totalmente su aspiración y esfuerzo espiritual debido a su desilusión. Sólo un pequeño porcentaje, a través de la discriminación, continúa su búsqueda para encontrar el campo adecuado donde puedan crecer y servir.*
>
> *El número de verdaderos buscadores está incremen-tándose. Debemos prepararnos para satisfacer sus necesidades y al mismo tiempo, resguardarnos de los peligros de caer en las vanidades, los espejismos, o en la utilización de los buscadores para nuestros propios intereses.*

Torkom Saraydarian, *Leadership* I, p. 16.

Nuestros primeros cursos de entrenamiento fueron lanzados en setiembre 2000. Tenemos clases presenciales así como por correspondencia. Para información sobre las clases y el registro en línea, visite nuestra página web o escríbanos.

https://www.tsgfoundation.org/tsg-university-information.html

INFORMACIÓN PARA PEDIDOS

Los trabajos completos de Torkom Saraydarian:

- Libros.
- Folletos.
- Música.
- Conferencias en audio y vídeo.
- Cursos de Meditación y estudio.
- Boletines gratuitos por correo electrónico.
- Visita nuestra sección de libros electrónicos en nuestra página web para ver las últimas actualizaciones.
- Catálogos completos disponibles en línea.
  www.tsgfoundation.org

Por favor contáctenos para información adicional:

TSG Publishing Foundation, Inc.
P.O. Box 7068
Cave Creek, AZ 85327–7068
United States of America
Tel: (480) 502–1909
Fax: (480) 502–0713
E-mail: *info@tsgfoundation.org*
espanol@tsgfoundation.org
Website: *www.tsgfoundation.org*

Grupo Estudios Teosóficos Valencia, España:
Website: *http://fraternidad.info/g.e.t.html*
Facebook: *Torkom Saraydarian en español*

Editorial Dagón:
Website: *www.editorialdagon.es*
E-mail: *jrubio@editorialdagon.es*

OBRAS DE TORKOM CASTELLANO

Serie Valores Familiares:

- Deberes de los Abuelos
- Para Hombres
- Para Mujeres
- El Matrimonio Ideal
- La Responsabilidad
- La Responsabilidad de los Padres
- La Responsabilidad de las Madres
- El Éxito
- La Cooperación
- Mujeres como Portadoras de Luz
- El Corazón de su Pareja
- Relaciones Familiares

Otras Obras en Castellano:

- *Comprendiendo La Doctrina Secreta*
- *Combatiendo Fuerzas Oscuras*
- *Aura*
- *Autobiografía*
- *La Sabiduría Eterna*
- *Otros Mundos*
- *Alegría y Curación*
- *La Jerarquía y el Plan*
- *La Nueva Humanidad de la Intuición*
- *Terremotos y Desastres*
- *Del Año 2000 en adelante*

La relación de títulos en español va creciendo constantemente. Para una lista actualizada, visite:

https://editorialcreacion.es/autor/torkom-saraydarian
http://fraternidad.info/obras-t.saraydarian.html

Otras Obras de la Línea Editorial Torkom Saraydarian

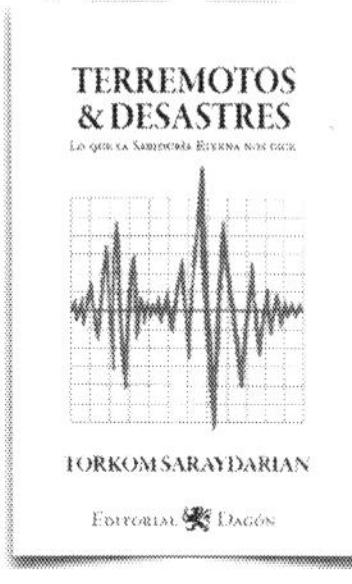

Terremotos y Desastres

Del año 2000 en adelante

La Sabiduría Eterna

Comprendiendo La Doctrina Secreta

Autobiografía

Alegría y Curación

LA FUENTE
DE LA
PROSPERIDAD

El Camino hacia el Éxito

TORKOM SARAYDARIAN

Editorial  Dagón

El Universo es rico y abundante. La prosperidad en toda su esencia está al alcance de todos. La prosperidad en el mundo exterior es el reflejo del potencial de prosperidad en el interior de cada persona.

Éste libro es un estudio detallado sobre cómo tener abundancia y disfrutar de las riquezas de la vida.

Todos quieren abundancia. Algunos la quieren en forma de dinero, propiedad y pertenencias. Otros quieren ser ricos en creatividad, amor, ideas y belleza. Otros quieren ser ricos en sus corazones, mentes y vitalidad.

Este libro proporciona las siguientes pautas de riqueza:

- Claves de cómo tener abundancia
- Catorce maneras para mantener el flujo de prosperidad
- Doce definiciones de prosperidad espiritual
- Doce condiciones mentales necesarias para la prosperidad
- Doce condiciones emocionales necesarias para la prosperidad
- Doce manifestaciones físicas de prosperidad
- Meditación sobre la prosperidad y bendiciones para la prosperidad

«Debido a mi buen karma, conocí en mi vida a muchas personas alegres que irradiaban alegría en sus pensamientos, emociones, acciones y relaciones. La gente alegre me atrajo desde niño. Siempre tuve un deseo profundo de saber qué es la alegría, qué es lo que la alegría puede hacer y qué maneras hay para desarrollar alegría y ser alegres.»

En esta tercera edición en español de ALEGRÍA Y CURACIÓN hay información muy práctica y útil para ayudarte en el camino de una vida alegre. Muchos ejercicios y visualizaciones te ayudarán a encontrar la fuente de la verdadera alegría dentro de ti.

Nuestros momentos de alegría suelen estar congelados, bloqueados y olvidados en nuestras mentes. Aprende a liberar y desbloquear las poderosas energías de la alegría.

LOS PILARES DE LA SALUD

Este folleto es una transcripción de un seminario de Torkom Saraydarian celebrado en octubre de 1993 en Sedona, Arizona.

Torkom ofrece pautas simples y prácticas para conseguir un estilo de vida saludable. Utiliza un enfoque fresco y claro, dando consejos prácticos para nuestra vida, manteniendo un ambiente saludable y limpio, lo que es una gran ayuda para nuestra salud interna y espiritual:

- La salud física y material
- La salud mental
- Ejercicios para la salud (Visualización y Meditación)
- Cómo el desarropllo de la Consciencia nos guía a una mayor salud

EDITORIAL
DAGÓN